folio cadet ▪ premières lectures

Le Petit Nicolas
d'après l'œuvre de René Goscinny
et Jean-Jacques Sempé

Une série animée adaptée pour la télévision
par Matthieu Delaporte, Alexandre de la
Patellière et Cédric Pilot / Création graphique
de Pascal Valdès / Réalisée par Arnaud Bouron.
D'après l'épisode «Clotaire déménage», écrit
par Olivier et Hervé Pérouze.
Le Petit Nicolas, les personnages,
les aventures et les éléments caractéristiques
de l'univers du Petit Nicolas sont une création
de René Goscinny et Jean-Jacques Sempé.
Droits de dépôt et d'exploitation de marques
liées à l'univers du Petit Nicolas réservés
à **IMAV EDITIONS**. Le Petit Nicolas ® est une
marque verbale et figurative enregistrée.

© Gallimard Jeunesse, 2017,
pour la présente édition
Adaptation : Emmanuelle Lepetit
Maquette : Gatepaille Numédit
Le papier de cet ouvrage est composé
de fibres naturelles, renouvelables, recyclables
et fabriquées à partir de bois provenant
de forêts plantées et cultivées expressément
pour la fabrication de la pâte à papier.
Loi n° 49-956 du 16 juillet 1949 sur les
publications destinées à la jeunesse.
ISBN : 978-2-07-507804-7
N° d'édition : 309207
Dépôt légal : février 2017
Imprimé en France par I.M.E.

Le Petit Nicolas

Clotaire déménage

GALLIMARD JEUNESSE

Le Petit Nicolas

et ses copains

Maman   Papa

Nicolas   Alceste   Clotaire   Eudes

La maîtresse Le Bouillon

Louisette Marie-Edwige Geoffroy Agnan

Il est huit heures et demie. Comme tous les matins, M. Dubon, le surveillant, fait entrer les élèves deux par deux sous le porche de l'école. Et comme tous les matins, il en manque un à l'appel : Clotaire, l'habituel retardataire !

Alors que la maîtresse accueille ses élèves, le cancre finit par surgir dans le couloir, essoufflé et débraillé.

– Dépêche-toi de te ranger avec les autres si tu ne veux pas être collé la semaine prochaine ! gronde le Bouillon.

Le garçon secoue la tête.

– La semaine prochaine, je ne serai plus là.

– Comment ça ? s'écrient ses copains.

– Je vais déménager... J'ai surpris mes parents qui en parlaient hier soir.

– Alors ça veut dire que... tu vas changer d'école ! souffle Nicolas.

Tout le monde se sent triste, tout à coup – même le Bouillon !

Seulement, il faut bien continuer à travailler. Une fois en classe, l'institutrice rappelle à ses élèves de réviser leurs

leçons pour le contrôle du lendemain. Puis elle désigne Clotaire.

– Comme tu vas nous quitter, viens donc au tableau nous réciter la poésie qu'il fallait apprendre pour ce matin.

Clotaire se lève... et se dirige droit vers le piquet!

– Je ne l'ai pas apprise, bafouille-t-il.

La maîtresse observe le cancre d'un air dépité.

– Je n'ai pas le cœur de te punir aujourd'hui. Va te rasseoir.

– Oh, merci, mademoiselle!

C'est bien la première fois que Clotaire échappe à une punition!

– Vu que tu pars bientôt, on sera tous très chouettes avec toi, chuchote Nicolas à Clotaire, qui est retourné à sa place.

– Ça, c'est sûr, approuve Alceste.

Le regard de Clotaire tombe alors sur le pain au chocolat posé sur le pupitre du gourmand.

– Tu m'en donnerais un bout ? Ce serait chouette...

Alceste hésite un peu à l'idée de perdre une si bonne viennoiserie. Mais après quelques secondes :

– Tiens, prends-le tout entier.

Clotaire est de plus en plus ravi : pas de piquet et un goûter gratuit !

À la sortie des classes, il aperçoit une limousine garée devant l'école. Albert le majordome vient d'ouvrir la portière et Geoffroy s'apprête à monter quand Clotaire l'interpelle :

– Dis ! Tu peux me ramener chez moi ?

– En quel honneur, je te prie ?

– Bah... je vais déménager. Tu peux bien me faire plaisir.

Geoffroy pousse un soupir... et cède. Sur ce, Nicolas propose :

– Et si on se retrouvait au terrain vague après le goûter ? On pourrait organiser une partie de foot.

– Je préfère qu'on fasse une course de vélo, répond Clotaire.

– C'est pas drôle, râle Maixent. C'est toujours toi qui gagnes !

– Pourtant, ce serait chic qu'on fasse une dernière course ensemble... avant que je parte, argumente Clotaire, avec des trémolos dans la voix.

Les enfants sont bien forcés d'accepter !

Un peu plus tard, la bande de cyclistes se retrouve devant le cinéma. Marie-Edwige, qui arbitre la compétition, a tracé une ligne de départ à la craie sur le trottoir.

– À vos marques, prêts, partez !

Les garçons s'élancent comme des fusées. Ils passent le premier virage...

sauf Clotaire, dont le vélo a subitement déraillé.

– ZUT ! peste-t-il en mettant pied à terre.

Ses copains, eux, ne remarquent son absence que dans la montée qui longe le terrain vague.

– Le pauvre ! Il va être déçu, halète Alceste.

– On ferait mieux de l'attendre, dit Nicolas en ralentissant.

La petite troupe s'arrête donc en haut de la côte.

Clotaire, de son côté, se dépêche de réparer sa bicyclette et Marie-Edwige en profite pour l'asticoter :

– On dirait que tu vas perdre, cette fois.

– On parie ? Si je gagne, tu me donnes un bisou.

– Alors là, tu peux toujours rêver !

– Dommage, ça m'aurait laissé un joli souvenir de toi, reprend le petit malin.

– Bon... d'accord.

ZOU ! Clotaire remonte en selle et pédale à toute vitesse... en passant par

le terrain vague. Grâce à ce raccourci, il rattrape sans peine son retard et franchit la ligne d'arrivée le premier !

– J'ai gagné ! J'ai gagné ! claironne le tricheur. Même que Marie-Edwige va m'embrasser !

Évidemment, ses amis sont fâchés. Surtout Nicolas !

De retour chez lui, Nicolas boude dans le jardin.

– Quelque chose te chiffonne, fiston ? lui demande son père.

– C'est Clotaire. Comme il va déménager, on est gentils avec lui et, du coup, il en profite.

– Il ne faut pas trop lui en vouloir, conseille son papa. Ça doit être une période difficile pour lui...

Nicolas n'a pas tout à fait décoléré. Néanmoins, il décide de redoubler d'efforts avant le départ de son ami.

Le lendemain, en arrivant à l'école – à l'heure, pour une fois! – Clotaire rencontre Marie-Edwige.

– Tu m'en veux encore pour hier ?

– Un peu... répond la fillette, mais tu pars bientôt, alors je vais passer l'éponge.

– Bah, euh, en fait, je ne pars pas finalement ! lui révèle le garçon. J'avais mal compris : c'est juste que mon père va travailler dans un autre bureau.

– Voilà une excellente nouvelle ! s'exclame la maîtresse qui, postée devant la grille, a tout entendu.

Au même instant, Nicolas accourt dans leur direction.

– Salut, Clotaire ! C'est ton dernier jour, non ? (Et sans lui laisser le temps de répondre, il s'empresse d'ajouter :) Si tu veux, je peux porter ton cartable.

– D'accord !

Chargé comme un mulet, le pauvre Nicolas file retrouver ses camarades dans la cour.

– C'est pas super, ça ? se réjouit Clotaire.

Marie-Edwige, choquée, le toise de haut en bas.

– Tu n'es qu'un profiteur !

Penaud, Clotaire rejoint ses copains, résolu à leur dire la vérité. Entre-temps, ces derniers ont eu une idée terrible.

– On va t'aider pour le contrôle de ce matin. Comme ça, tu partiras de l'école avec une bonne note.

L'occasion est trop belle pour le petit cancre, abonné aux zéros. Il décide alors de profiter un peu plus longtemps de ses avantages...

C'est l'heure du contrôle! Nicolas, Alceste, Eudes et les autres recopient

leurs réponses sur des bouts de papier. Puis ils les roulent en boule et les lancent à Clotaire. Celui-ci n'a plus qu'à les déplier sur ses genoux et à réécrire les solutions sur sa feuille.

La maîtresse ne se rend compte de rien, jusqu'à ce que :

– Quelle chaleur ! soupire-t-elle.

Elle ouvre la fenêtre et un courant d'air s'engouffre dans la pièce : FLAP ! FLAP ! les antisèches de Clotaire s'envolent comme des papillons !

– Qu'est-ce que ça signifie ? s'indigne l'institutrice en s'en emparant. Ce sont vos écritures à tous ! ZÉRO pour tout le monde !

– Oh non, mademoiselle ! bondit Nicolas. On voulait juste aider un peu Clotaire pour son dernier contrôle, vous comprenez ?

La maîtresse ouvre de grands yeux étonnés.

– Tu n'as pas encore annoncé la bonne nouvelle à tes amis, Clotaire ?

– Euh, non. Ben... voilà, je ne déménage pas, avoue le petit menteur dans un filet de voix.

– QUOI ?

Ses camarades sont choqués : ils n'en reviennent pas que leur ami ait pu leur mentir ainsi. Mais le plus furieux, c'est Alceste.

– Tu me dois un pain au chocolat !

À l'heure de la récré, les copains de Clotaire ne lui adressent pas la parole. Assis tout seul sur un banc, pris de remords, le garçon les observe jouer au foot sans lui. Comment se faire pardonner ?

Soudain, Eudes shoote et Alceste, le gardien de but, dévie le ballon vers une fenêtre de l'école. GLIIING ! Le carreau vole en éclats... et le Bouillon se rue vers eux au grand galop.

– QUI A FAIT ÇA ?

Les écoliers baissent la tête sans piper mot.

- Si personne ne se dénonce, vous serez tous collés, avertit le surveillant.

- C'est moi le coupable ! déclare alors Clotaire en sautant de son banc.

- Ça va être sa fête... marmonne Eudes, pas très à l'aise.

Seulement, le Bouillon se radoucit aussitôt :

- Hmm... puisque tu es sur le départ, je vais fermer les yeux.

- Mais non... essaye de le détromper Clotaire.

- Tut-tut-tut. Considère ceci comme mon cadeau d'adieu.

Hélas pour Clotaire, la maîtresse passe justement par là.

- Alors, monsieur Dubon, Clotaire vous a prévenu qu'il ne déménageait plus ?

– HEIN ? sursaute le Bouillon. Au piquet ! TOUT DE SUITE !

Le malheureux cancre est bien forcé d'obéir...

Mais tandis que ses amis tournent vers lui un regard plein de reconnaissance, il leur lance avec un air complice :

– C'est la première fois que je suis content d'être puni !

je lis tout seul

Pour les jeunes apprentis lecteurs
Niveau 2

Déjà 36 titres parus !

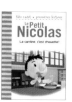

n° 15 *La cantine,
c'est chouette !*

n° 16 *On ne parle
pas aux chouchous !*

n° 17 *Abracadabra !*

n° 18 *La chasse
au dinosaure*

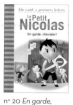

n° 19 *Papa casse
mes jouets !*

n° 20 *En garde,
chevalier !*

n° 21 *Pas de pitié
pour les cafteurs !*

n° 22 *En avant,
la musique !*

n° 23 *L'attaque
du château fort*

n° 24 *Pauvre
baby-sitter !*

n° 25 *La petite souris
est passée !*

n° 26 *Sur la piste
des Indiens*

n° 27 *Le match
de foot*

n° 28 *Privé de glace !*

n° 29 *Une grenouille
à l'école*

n° 30 *Les petits
rebelles*

n° 31 *Oh, la honte !*

n° 32 *Petite frayeur
entre amis*

n° 33 *La classe verte*

n° 34 *Qui a peur
du docteur ?*

n° 35 *Les farceurs*

n° 36 *Clotaire
déménage*

Retrouve tous les titres de la collection sur www.gallimard-jeunesse.fr
Ils existent aussi au format numérique !